KB103458

# 마음은 우울해도 화창한 날이 좋아

마음은 우울해도 화창한 날이 좋아

발 행 | 2023년 04월 15일
저 자 | 최성은
펴낸이 | 한건희
펴낸곳 | 주식회사 부크크
출판사등록 | 2014.07.15.(제2014-16호)
주 소 | 서울특별시 금천구 가산디지털1로 119 SK트윈타워 A동 305호
전 화 | 1670-8316
이메일 | info@bookk.co.kr
저자 이메일 | qjwl12389@naver.com

ISBN | 979-11-410-8095-2

www.bookk.co.kr

# 마음은 우울해도 화창한 날이 좋아

최성은 지음

-CONTENT-

우선 이 책을 쓰는데 아낌없는 격려를 보내준 가족들과 친구들에게 감사를 표합니다.
특히나 글을 쓰는 일이 멋있고 가치 있다고 이야기해 준 최경은 간호사에게 더욱 감사를 표하고 싶습니다.
이 책은 소소한 행복을 여러분들께 전달하고 싶어 쓴 것입니다. 이 책을 읽을 때만큼은 잡생각이 없어지고, 사람 사는 것은 똑같다는 말을 이해하게 되는 시간이 되었으면 합니다.
이 책에는 어떠한 가르침이나 교훈이 없습니다. 깨달음을 얻고 지식을 얻고자 한 독자들은 이미 인문학 서적으로 발길을 돌리셨겠지만 누군가 삶의 일부를 들여다보면서 따뜻함을 얻고자 하신 분들이라면 이 책이 어울리실 지도 모릅니다.
저의 첫 책을 여러분과 함께 하게 되어 진심으로 기쁘고 행복합니다. 삶의 행복은 여러분이 마음먹기에 달려 있습니다. 그 행복의 여정을 저와 함께 하기로 한 독자 여러분들께 건강과 평안이 함께 하기를 기도합니다. 이 글을 읽는 시간에는 그저 따뜻한 차 한 잔이면 충분합니다.

## 1) 손권사의 방

권사는 교회의 직분을 뜻하는 말이다.

우리 엄마는 꽤 젊은 나이에 권사 직분을 다셨다. 사람들은 믿음이 좋다며 엄마를 칭찬했다.

엄마 또한 교회에 무척이나 헌신적이었다. 그리고 유별난 점도 있었다.

한 일화가 있다.

지금까지도 우리 교회에서는 일 년에 한두 번 가족 대심방을 한다.

아침부터 쓸고 닦는 우리 손권사의 근성을 보고 나는 경이로움에 박수가 저절로 나왔다.

목사님은 저녁에 오시는데 말이다.

우리 가족은 오후부터 전투적이었다. 사실은 손권사 혼자 전투에 몰입했지만.

손권사는 빨리 저녁을 먹고 환풍을 시켜 목사님이 쾌적하게 우리 집에서 심방을 하셔야 한다고 했다.

난 솔직히 어이가 없었다. 아니 저녁 냄새가 좀 나면 어떠냐며 투정을 부렸지만 소용이 없었다. 우리들은 다급하게 저녁 식사를 한 후 온 집안을 환풍 시키기 시작했다. 목사님이

앉으실 방석과 물까지 세팅 후 "모든 준비는 끝났다." 비장하게 우린 목사님을 기다렸다.

목사님이 들어오신 후 자리에 앉자 우리도 둥글게 자리에 앉았다. 담소가 이루어지면서 목사님이 이런 질문을 하셨다.

"권사님, 저녁에 추어탕 드셨나요? 산초 냄새가 나네요."

그 말을 듣는 엄마는 어쩔 줄 몰라 하며 부끄러운 웃음을 지었다.

"아니요.. 오징어 볶음을 먹었는데.. 아직까지 냄새가 날줄은,,, 어휴,, 죄송해요. 목사님"

손권사도 유별났지만 그날은 목사님도 유별나셨다.

권사는 교회 사람들이 우리 엄마를 부를 때 부르는 명칭이기도 하지만, 우리 가족은 그녀에 대한 일종의 애칭으로 손권사라 부른다.

가끔은 화난 말투로, 가끔은 웃길 때 그때의 기분에 따라 손권사를 외친다. "손권사!!"

손권사는 엄마이자 신에게는 딸이다. 그녀가 불교에서 개신교로 개종한 후 교회를 열심히 섬겨온 이후 계속, 그 이후에도 죽을 때까지 그녀는 신에게 딸일 것이다. 나도 엄마의 딸이지만 엄마가 정말 신의 딸인가. 저런 힘이 나오다니! 할 때가 많았다. 그 힘은 주로 희생에 쏟아 부어졌다.

손권사는 가족에게도 교회에서도 늘 희생적이었다.

대가족 속에서 자란 그녀는 장녀였다. 그 말은 즉 희생을 당연시 여길 수밖에 없는 위치란 것이었다.

그녀의 희생은 군인인 남자를 만나 여러 지방을 옮겨 다니면서 계속되었다. 첫째를 낳고, 쌍둥이인 우리를 낳으면서 그 희생은 여전히 진행 중이다. 특히 눈에 띄는 희생 중 하나는 바로 공간이었다. 그녀는 공간을 희생했다. 육체적인 노동이 끝난 후에도 엄마에겐 자신만의 공간이 없었기 때문이다.

왜 우리는 각자의 방이 없냐는 딸들의 성화에 공간을 잃어버린 지 오래였다. 성경책을 읽어도 거실에서. 텔레비전을 시청해도 거실에서. 손권사는 부엌살림까지 하면서 거실 주변만 맴돌고 있을 뿐이었다.

손권사에게 공간이란 사치였을까. 조용히 의자에 앉거나 침대 속에 누워 자신만의 쉼을 이룰 수는 없었을까.

손권사는 결혼한 지 30년 가까이, 아니 태어나서부터 자신의 공간은 학교 책걸상 밖에 없었는지 모른다.

그런 손권사는 최근 큰 변화를 맞이했다. 바로 세 딸 중 두 딸이 나가 살게 된 것이다. 그 말은 방이 빈다는 의미였다.

손권사는 처음으로 자신만의 공간을 가질 수 있게 되었다. 마음껏 찬송을 부르고 마음껏 유튜브를 보며 웃을 수 있는 공간.

버지니아 울프는 자기만의 방에서 이렇게 이야기했다. 여자들도 자신만의 공간이 있어야 한다고. 생각하고 쓸 수 있는 곳이 필요하다고 말이다.

오후 9시 샤워까지 끝마친 손권사가 방안으로 들어간다. 왠지 그녀를 부르고 싶지 않았다.

나도 내 방으로 들어와 책을 읽는다. 그 공간에서 손권사의 웃음이 들리기도 하고 기도가 들리기도 한다.

그녀가 쉬고 있다. 휴식을 취하고 있다.

내가 다 행복하다. 그녀의 휴식이 때로는 의미가 없어 보여도 내일을 위해서는 그런 시간이 필요함을 우리 가족은 알아야 한다.

## 2. 고양이와 나

요즘 나의 생각은 고양이로 시작해 고양이로 끝난다.

왜냐? 최근 베르나르 베르베르의 문명과 행성을 정주행하고 며칠 전에 끝냈기 때문이다.

집 앞 고양이에게 가서 고양이를 괴롭히면서 말한다. "너, 베스타트 아니여? 일루와 봐 칩 있나 확인해 보게." (아마 이 책을 읽은 사람만이 웃을 것이다) 나는 아파트에 산다. 뒷동에는 자칭 대부님이라 불리는 할아버지가 살고 계시는데 그는 고양이 8마리의 아버지이자 충실한 집사이다.

대부님은 고양이 밥부터 시작해서 빗질까지 정말 지극정성이다. 길고양이를 데려와 키우기 시작해 이제는 방 한 칸을 내줄 정도로 개체 수 감당이 안 된다고 하시면서도. 매일 아침 대부님의 소리가 나를 깨운다. "나비야, 이놈 자식 밥 먹어야지. 어딜 가 있어. 나비야."

나는 그를 동물농장에 제보할까 생각해 보았지만 아파트의 평화를 위해 그 생각을 다시 집어넣었다.

그런 할아버지의 집을 나는 매일 같이 엉거주춤 들여다본다. 누가 보면 도둑인 줄 싶겠지만 사실은 애묘가일뿐.

할아버지의 집을 엉거주춤 보는 이유는 딱 한 가지 고양이를 만져보고 싶기 때문이다. 고양이를 만질 때의 포근함과 심신의 안정은 이루 말할 수 없다. 에세이 1에서 말했듯이 청소광인 유별난 손권사 때문에 나는 절대 고양이를 키울 수가 없다.

처음에 나는 고양이를 좋아하지 않았다. 오히려 길고양이들을 혐오하며 지나갈 정도였다. 특히 여름밤 고양이들이 아기 같은 소리로 싸우는 것을 들을 때면 곤욕이었다.

고양이를 좋아하기 시작한 건 정확히 4개월 전쯤이었다.

나는 만 22년의 최대 고비라 여길 만큼의 힘든 시간을 보내고 있었다. 병원 의사 선생님도 퇴원은 하되 절대 안정하라고 말씀하셨다.

더운 여름을 지나 가을이 찾아와 몸이 회복되니 마음이 힘들어졌다.

우울과 불안, 공황이 찾아온 것이다.

숨쉬기가 어려워지고 죽고 싶은 순간이 수 천 번.

친구도 교회도 모두 손을 놓아 버렸다. 지금 뒤를 돌아 보아도 어쩔 수 없는 선택이었다.

많은 것을 쥐고 있기에 포기할 수 있는 몇 개를 버린 것 뿐이라고 생각하기로 했다.

무신경. 오직 나만 바라보기가 그 때는 최선의 도리였다. 산책을 하면서 아파트 벤치에서 책을 읽는 것이 나의 유일한 활동이 되어버렸을 쯔음.

제법 더위가 가실 때 고양이가 눈에 들어오기 시작했다. 아파트 벤치에서 책을 읽다가 고양이와 눈이 마주쳤다.

할아버지가 나비라고 부르는 것을 추측해 보았을 때, 모든 고양이를 나비라고 부르는 것을 알아차렸다. 그리고 나도 할아버지와 비슷한 목소리로 나비를 불렀다. "나비야."

그때 신기하게도 고양이는 나에게 다가와서 배를 보여주었다. 처음엔 할퀼까 봐 조심조심하면서 쓰다듬었는데 그 기분은 킹왕짱 행복했다.

그 감정을 느낀 이후로 베르나르의 책을 심취할 정도로 읽었고, 그 책을 읽은 후 밖으로 나와 나비를 찾았다.

하지만 가끔 나를 무신경하게 쳐다보며 도망갈 때면 "내가 배 문질러 줬는데 너무한 거 아니야?"라고 얘기해 주고 싶다.

들을 리 있나..

때로는 이 쓰다듬 몇 번으로도 행복해질 수 있구나. 행복은 참 단순하기도 하다라는 생각이 든다.

근데 나는 어떠한 행복을 원하기에 무서워하며 숨쉬길 어려워할까?

어쩌면 그 행복은 멀리 있는 게 아닐 텐데.

나는 오늘도 나비를 부른다.

내 행복을 불러오기 위해.

## 3. 최 토끼는 공부 중

우리 아빠는 토끼를 닮았다. 특히나 웃으면 더 토끼 같아 보인다.

그래서 딱히 토끼 사진을 찾아보지 않는다. 아빠가 토끼처럼 보이니까.

토끼라서 그런가. 이것저것 주고 싶다.

참고로 토끼는 당뇨와 혈압을 가지고 있다. 그래서 이것저것 주면 손권사한테 혼날 수 있다.

토끼는 토끼 굴을 가지고 있다. 이 의미는 우리 집에서 유일하게 독방을 소유하고 있다는 뜻이다. 문을 열면 옥돌침대와 한 몸이 된 토끼를 볼 수 있다. 토끼는 최근 일본 여행을 다녀왔다. 일본 여행이 결정되고 한 달 전부터 일본어 배우기에 착수했다.

토끼의 목표는 현지인과 대화해 보기였다. 하지만 장수토끼여서 자꾸 외운 걸 까먹는다고 자책하며 매일 옥돌 침대에 머리를 파묻곤 한다. 토끼의 첫째 딸은 일본어 능력자이다. 어렸을 적부터 덕질의 짬으로 익혀온 그녀는 아빠 토끼를 북돋아 주며 할 수 있다고 말한다.

얼굴을 파묻던 토끼가 냉수 한 잔을 들이키고는 각을 잡고

앉아 다시 일본어 공부를 시작한다.

토끼에게 그런 집요함이 있는 줄 난생 처음 본 딸들은 그저 신기하기만 하다.

언니에게 문자한다.

"언니, 아빠 공부해. 요즘."

"정말?"

"그렇다니까. 6시에 퇴근하고 7시에 운동 마치면 8시에는 공부하셔. 대단하지 않아?"

"우리 아빠, 하면 하는 남자라니까."

11시경 손권사가 증언한 바에 따르면 아빠는 눈이 빨게 질 정도로 공부에 열중이라는 것이다.

"당신, 낼 회사 가는데 이제 그만 자야지."

"이것만하고. 어차피 일찍 자도 일찍 깨."

토끼 굴에만 가면 옥돌 침대와 물아일체가 되시던 분이 이제는 누워서 책을 보기 권법을 시전한다.

딸들이 감탄을 금치 못한다.

열공에 열공을 부단히 노력한 결과는 대만족이었다.

토끼에게 대만족이었다는 것이다.

회사 사람들이 일본어를 할 줄 아는 토끼를 보고 놀랐다는 이야기부터 길거리 공연하는 젊은 일본인과 짧은 몇 마디를 주고받았다는 것까지 .

일목요연하게 설명하면서 웃는 그를 보고 나는 생각했다.

'우와~ 토끼 닮았다. 토끼가 웃기도 하네?'

밤 10시에 집에 온 토끼는 아이스 보냉을 빙자한 비닐봉지에 낫또까지 종류별로 사 왔다. 옆 과장님이 말한 요즘 아이들이 좋아한다는 로이스 초콜릿까지.

거기다 내가 질리도록 이야기 한 산리오 스티커도 바리바리 싸든 것을 펼쳐내면서 의기양양 내보인다.

그 순간만큼은 장수토끼가 아닌 어린 토끼의 모습이다.

일본 여행 이후 토끼는 다시 똑같은 일상의 연속으로 돌아갔지만 작은 꿈을 꾸기 시작했다.

일본어를 더 잘하기로.

나는 오늘 서점에 들렀다.

그에게 자그마한 선물을 하기 위해서다.

내 책을 사는 것 큼이나 떨리고 기분이 좋았다.

당당하게 제 2외국어 쪽으로 가서 일본어 단어장을 손에 쥐었다.

오늘도 학습으로 의기양양해질 토끼를 생각하며.

## 4. 나루토와 그녀

언니는 나루토를 참 좋아한다.
휴일에는 일어나서부터 자기 직전까지 나루토를 본다.
"언니는 왜 나루토를 좋아해?"
"그냥 내 취향에 맞아."
"그 취향이 뭔데?"
이쯤 되면 회사에서는 나루토 보고 싶어서 어떻게 참나 싶을 정도이다.
영어 공부는 못해도 나루토는 보고 자야 한다던 그녀는 30살이자 토끼 가족의 장녀이다.
아시다시피 최토끼와 손권사 사이에는 세 딸이 있는데 그 중 장녀라는 이야기이다.

장녀답게 하나에 몰두하면 끝을 봐야하는 성격이다.
(장녀의 특징이라 자신 있게 말하는 것이 틀리다고 생각하는 이들에게 잠깐의 양해를 구한다.)
특히 미드나 일드에 꽂힌 게 있다 싶으면 무조건 결말을 자신의 눈으로 봐야 한다.

나는 그녀를 붕붕이라 놀리기도 하는데(운전 연습 도중 아파트 담을 넘어 아빠 최토끼의 뇌에 영원히 새겨질 경험을 만들어 냈다.) 그 이야기는 잠시 넣어 두고 그녀가 어떤 사람인지를 잠깐 소개해 보고자 한다.

그녀는 하고 싶은 것도 좋아하는 것도 많아 아직은 결혼이 뒷전인 한 여성이다.
좋아하는 인형으로는 미니언즈, 위베어 베어스, 포차코 등으로 귀여운 것에 나름 돈을 쓸 줄 아는 여성이다. 반고흐를 좋아하기도 한다.
또한 언어 배우는 것을 좋아해 독일어, 영어, 일본어를 능통하게 하며(언니말로는 독일어는 이제 자신의 기억에서 사라졌다고 말한다.) 멍 때리며 고양이 보는 것을 좋아한다. 대학교 다닐 때부터 에세이 밖에 사본 적이 없다는 그녀. 그녀는 에세이를 참 좋아한다.

그 중 가장 좋아하는 것이 있으니 바로 가족이다.
그녀는 가족을 제일 좋아한다. 회사에서 좋은 식당에 가면 우리 가족을 데려가고, 좋은 곳을 보면 우리에게 소개시켜 준다.

그녀는 장녀이다.
하지만 맘은 아직 어린 아이이다.
그녀를 연구원 기숙사에 데려다 주던 첫 날, 우리 세 자매는 꼬옥 껴안았다.
처음 가족하고 떨어져 살아보는 언니에게는 큰 도전이었는지 모른다.
"우린 떨어져 있어도 같이 있는 거나 마찬가지야 맞지?" 내가 말했다.
그날 아쉬움을 뒤로 한 채 차 안으로 돌아왔다.
엄마가 뒤에서 한마디 한다.
"생쇼를 해요 일주일 뒤면 다시 볼 건데 뭘 그렇게 끌어안고 그러냐?"
뒤에서 멀어져 가는 그녀의 뒷모습을 보면 생쇼여도 백 번이나 안아주고 싶었다. 괜찮다고.
그 후 언니는 매주 산 속에 갇혀 있던 연구원 기숙사에 뛰쳐나와 금요일이면 가족들의 품으로와 나루토를 시청한다. 그것이 그녀의 유일한 낙이다.

"나루토는 어두운 면도 있지만 그것을 극복해 나가

는 그 과정이 진짜 심금을 울린다니까?"
어쩌다 같이 자게 된 언니는 불면증이 있는 나를 위해 자신이 본 나루토 얘기를 해 주었다.
그렇게도 나루토가 좋을까 싶었다.

그녀는 자기가 좋아하는 것을 정확히 안다.
하지만 나는 모른다. 아직도 내가 무엇을 좋아하는지. 7년 어치 언니만큼 밥을 먹어도 모를 것 같다.

언니는 배울 점이 많은 인간임에 틀림없다. 그 중 한 가지는 침착하고 계획적이며 이성적인 면이다.
이것은 엄마보다는 아빠 최 토끼의 일부를 닮았을 것이 분명한데 이 성격은 장단점이 확실히 나뉜다.
장점은 여행을 갈 때 아주 철저한 계획성 덕에 피곤하지만 알차다는 점이고 단점이라면 공감성이 살짝 떨어지고 자기주장이 강해 때론 상처를 줄 수 있다는 점이다.
언니는 그렇게 컸다.
그렇게 커서 이렇게 자랐다.
앞으로는 어떤 모습으로 자랄까?
한 가지 확실한 것은 전에도 앞으로도 가족을 좋아

하는 인간으로 성장할 거라는 것은 변함없을 것이
다.

## 5. 인형, 마라탕과 탕후루

여기 MZ 세대답게 탕후루와 마라탕을 좋아하는 아이가있다. 그녀는 막내온탑, 우리 집 실세 1위를 굳건히 지키고 있는 최경은 양이다. 좋아하는 음식은 마라탕과 탕후루. 그리고 인형이다.

기분이 꿀꿀하거나 기분이 좋거나, 좋은 일이 있거나 나쁜 일이 있을 때는 이런 말을 하곤 한다.

"아, 마라탕 땡기네!" 라고 말한 뒤, 꼭 하는 말이 있다. "먹은 다음에는 탕후루도."

"성은아, 나 당뇨, 고혈압 오는 건 아니겠지?" 하며 고민을 토로하면서.

마라탕에 반 이상은 푸주를 넣는 그녀. 어쩌면 마라탕을 먹기보다는 푸주를 먹기 위해 마라탕을 먹는다는 표현이 맞을지도 모른다.

또 인형을 너무 좋아한 나머지 직장을 다니는 지금도 인형 모으는 것을 취미로 삼는다. 엄마가 그녀를 겁주려 이렇게 말했던 적이 있다.

"이 인형을 다 버릴 거야. 불쏘시개에다가."

초등학생이었던 경은이는 겁에 질려 나를 쳐다보다가 무슨 결심이 섰는지 방으로 와서 책가방에서 책을 다 꺼냈다. 그러고는 책가방에 인형을 가득 채워 넣었다.

책가방 속으로 안전히 대피하지 못한 아이들을 그냥 두고 볼 수 없었었던지 나에게 부탁을 했다.
"성은아 너도 책 다 비워. 거기다 인형 넣어야 해."
나도 경은이의 인형을 지켜주고자 교과서를 다 빼고 인형을 넣었다. 이 사실은 지금까지도 나와 경은이 외에는 모른다. 그날 교과서는 전부 다 빌려 해결했다. 우린 인맥도 참 좋고 넉살도 좋은 쌍둥이 자매였다.
그녀의 인형 사랑은 고등학생 때도 이어졌다. 그 당시 가방에 인형 고리를 걸고 다니는 것이 유행이었는데 너무 많이 걸어 수학 학원선생님이 이런 말을 한 적이 있다.
"경은아, 장사하러 가니? 무겁지도 않니?"
그녀가 당차게 이야기 한다
"안 무거워요."
이 사실 역시 부모님은 모르는 이야기이다.

그녀의 인형 사랑은 현재 진행형이다. 그녀는 정성스럽게 인형을 다루듯 사람도 친절히 대한다. 그녀의 직업은 간호사이다. 친절하게 환자를 대한다.
인형에게도, 사람에게도 친절히 대하는 그녀.

하지만 그녀에게도 친절치 못한 한 가지가 있었는데 그건 바로 자신의 마음이다. 경은은 자신에게 기준치가 높았고 자신을 호되게 혼낸다. 그리고 자책하고 실망해 한다.

그런 모습을 본 나는 왜 환자에게, 생명이 없는 물건에게까지 친절하면서 왜 자신에게는 친절하지 못한지 이해하지 못했다. 그저 자신이 인형에게 주는 사랑만큼 자신을 보듬어준다면 더 좋을 텐데 말이다.

그녀가 일하는 모습을 보지는 않았지만 난 확언할 수 있다. 환자에게 최선을 다하는 간호사라는 것을.

하지만 자신을 사랑하고 아껴주고 있다는 것에는 확언할 수 없다. 그래서 한 날 한 시에 태어난 내가 그 마음에 사랑을 얹어주고 싶다.

노력하고 싶다. 나의 사랑이 그녀의 마음에 비집고 들어가도록. 그리고 마음에 청진기를 대고 그녀의 마음을 듣고 처방을 내려주고 싶다.

당신의 마음 상태는 "행복 가득"입니다.

당신의 미래 상태는 "아주 맑음"입니다. 라고.

## 6. 나의 선생님

나는 어렸을 때부터 선생님을 어려워했다. 선생님이 엄한 것도 아니었으나 나보다 높은 분이라고 생각하니 그 자체로 어렵게 느껴졌다.

초등학교, 중학교, 고등학교 때 매 년 새로운 담임 선생님을 만나지만, 나에게는 특별히 기억에 남는 선생님은 없다. 만 22살이 된 내가 최근에 든 생각은 담임 선생님도 나를 기억에 남는 제자라고 생각하지 않을 것 같다는 것이다.

말썽을 부리는 학생도 아니었고 공부를 바닥 치는 학생도 아니었다. 조용하고 반에서도 주목받지 못하는 학생이었다. 선생님이라는 세 글자가 어려워서 숙제도 열심히 했고 지각도 한 적이 없었다.

고등학교에 갔을 때 담임 선생님은 학교의 어머니, 아버지와 같은 분들이었다. 11시까지 고된 자습이 끝나고 “잘 가, 수고했다.”라고 인사해 주시는 선생님들께 직접 표현하지는 않았으나 속으로는 감사한 마음이 컸다.

그리고 선생님이라는 직업 역시 힘든 직업이라는 생각이 들었다. 밤 11시 넘는 자습을 감독하고 아침 일찍 출근하는 선생님은 아무래도 내 장래 희망은 아닌 것 같았다.

수능을 거쳐 대학교에 오니 자비로운 어머니, 아버지 같은 선생님은 없었다. 그저 냉철한 눈빛으로 가차 없이 지각하면 감점하는 교수님이 강단에 서 계실 뿐이었다. 게다가 고등학교에서는 한 번도 생각해 보지 않은 영어영문학과에 입학하면서 나는 더욱 추위와 마주해야 했다.

학과에 대한 회의감은 작은 불씨에서 걷잡을 수 없는 큰 불이 되었고, 이 불을 꺼 보고자 시작한 일이 학원 강사였다.

나는 그저 내 영어 실력을 점검해 보고 싶었다. 마치 영문과 학생으로서 "영어는 좀 하겠지."라는 것에 대한 나의 오만함을 겸손함으로 바꿔줄 수단이었다고 볼 수 있다.

나는 당시 대전에서 제법 손꼽히는 학원 조교로 시작해 나중에는 문법 강사를 하게 되었다. 그러다 어느새 수업이 끝나고 "잘 가, 수고했어."라고 말하고 있는 자신을 발견했다. 그리고는 밤새 문법 공부, 아침에는 단어 공부를 해 가면서 학생들에게 어떻게 하면 쉽게 설명할지를 고민했고, 학생이 힘들어 하면 어떤 좋은 말을 해 줄지 걱정에 밤에 고민을 하다가 눈을 감은 적도 많았다.

이런 나 자신을 되돌아보다 문득 희미하게 기억나는 선생님이 있었다. 갑자기 눈물이 핑 돌았다. 내가 겪어 보니 아이를 한 명 한 명을 책임진다는 것은 단지 공부가 전부는 아니었다.

아이의 마음까지 살펴 볼 수 있는 사람이 진정한 선생님이라는 것을 깨달았다. 난 왜 미처 알지 못했을까. 선생님은 내가 조용해서, 사고를 안쳐서 관심을 없을 거라고 생각했지만. 그 마저도 관심이었는데.

그리고 내가 학원 강사로 아이들에게 느낀 걱정은 아무것도 아니었으리라 생각했다. 그리고 대학에 가서 4년 만에 고등학교 선생님께 카톡을 보냈다. 저를 기억하시냐고, 선생님은 저 모르실 수 있지만 너무 감사했다고.

그렇게 장문의 카톡을 보내고 5분이 채 지나지 않아 답장이 도착했다. '성은이구나, 당연히 너를 기억하지.'

기억한다는 선생님의 말에 선생님은 나에게 기억 이상의 기억을 남겨주셨고 말 한마디에 힘을 쏟아 주셨다.

이 글을 빌려 선생님께 말씀드리고 싶다.

선생님 과목을 제일 못해서 죄송하고 또 죄송하다고.

## 7. 책과 모순

정세랑 작가님의 소설 '시선으로부터'에 이런 이야기가 나온다. "계속 읽는 사람은 나중에 쓰게 되어 있다."

나는 애서가이다. 정확히 말하면 책을 읽는 것을 정말 정말 좋아하는 사람이다.

내 생일은 얼마 안 남은 크리스마스와 근접해 있는데, 모든 사람들에게 언포해 놓았다.

"나는 도서상품권이면 만족해."

글을 쓰다 보니 내가 언제부터 책을 좋아했더라? 내 자신의 기억을 더듬어 보기 시작했다.

4년 전 심장이 터질 듯한 마음으로 대학교 합격 발표를 클릭한 19살의 최성은.

그렇다. 나는 한 번도 고려해 보지 않았던 영어영문학과에 합격해 버린 것이다.

타 대학들도 한꺼번에 붙었지만 서울에서 학교를 다닐 수 있다는 메리트 하나로 M대학교에 덜컥 입학금을 넣어버렸다.

열심히 새내기 딱지를 달고 다니면서 선배들이 사주는 밥을 먹으러 다녔고, 대학교의 로망이라 꿈 꿔온 새벽 도서관도 다니면서 나름 학교생활에 만족했다. 하지만 1년을 다니고 나서 코로나가 터져버렸고 학교를 다닌 시간 보다 집에서 온라인으로 교수님 얼굴을 본 게 대부분이었다.

대학교 2학년. 졸업을 하려면 꼭 수강해야 하는 강의 중 하나가 글쓰기였다.

화면 속 교수님은 나에게 나의 글은 흰 백지와 같다며 어떤 글을 쓰든 방향성에 맞게 나아가면 좋은 글이 될 거라 격려해 주셨다.

그런데 자기소개로 적어낸 페이퍼에서 글쓰기 수업을 듣는 수강생 중 1등을 하고 말았다.

이때까지 나는 진정한 글이란 제인 오스틴처럼 인물을 상세히 묘사해야 하고, 이디스워튼처럼 여운을 남겨야 하며, 버지니아 울프처럼 깨달음을 줘야 한다고 생각했다. 그리고 글은 작가만이 써야한다고 믿었다.

글쓰기 수업은 어찌 저찌 잘 끝냈지만, 뭔가 내 글은 내가 보기에 쓸모가 없어 보였다. 그래서 내가 쓰는 글이 아닌  다른 작가의 글에서 무언가 얻으려고 애를 썼다.

책을 사고 통학 길에 읽고 아침에 시간이 나면 또 읽고 자기 전에 읽어도 내가 직접 써 볼 생각은 한 번도 해 보지 않았다.

심지어 에세이를 통해 남의 이야기 보는 것을 요즘 세상 유일의 낙으로 여기고 있었는데도 말이다.

하지만 나는 작가가 아니기에 비로소 내 글은 쓸 이유도 다른 사람이 읽을 이유도 없다고 생각했다.

그래서 현재 글을 쓰는 내가 모순적이다.

그렇지 않은가.

작가가 아닌 나에게 무엇을 얻으려고 시간을 내어 블로그에 접속해 나의 글을 살펴본단 말인가.

바쁜 시대에 교훈이 될 만한 이야기도, 위로가 되는 이야기도 아닌데 말이다.

이글을 써내려가다 보니 한 가지 독자들에게 위로 아닌 위로를 만들 수는 있을 것 같다.

모순을 인정하고 의미 부여를 위해 마지막 말을 고심해 적기로 한다.

"아무튼. 읽어주셔서 정말로 감사합니다."

퓰리처상을 받지도 않고, 노벨 문학상을 받지도 않은, 그 어떤 상도 받지 않은 사람의 조그마한 끄적임에 눈동자를 굴려가며 동조해 주심에 감사함을 느낍니다.

여러분도 이미 자기 인생의 작가임을 알게 되었다면 그 또한 감사함을 표합니다.

## 8. 신년 달력

12월로 넘어가면 은행, 병원, 가게에서는 무료로 신년 달력을 배부하곤 한다.

날씨가 추워지면서 정신건강의학과에 다닌 지 벌써 3개월이 지났구나하며 시간이 빠름을 느꼈다.

매주 화요일마다 정신건강의학과에 가는데 진료 예약이 비교적 늦은 시간 편에 속해 사람들이 없는 한산한 시간이다.

나보다 진료를 먼저 보실 할머니께서 신년 달력을 얻을 수 있냐고 병원 직원 분께 여쭤보셨다. 그러자 직원은 당연히 드릴 수 있다며 몇 부나 필요한지를 물었다. 2부면 충분할 것 같다는 할머니의 말씀에 병원 직원분이 친절하게 달력을 내밀었다.

속으로 우리 집에도 신년 달력이 아직 한 부도 있지 않아 직원이 달력이 필요하냐고 물으면 2부를 챙겨야지라고 생각하고 있을 무렵 나의 진료 시간이 다가왔다.

나는 의사 선생님께 요즘 들어 악몽에 자주 시달린다고 했다. 선생님은 사서 걱정하는 것이 아닌 현실적인 어려움이 있기 때문에 일반 사람들도 나같이 고민을 하면 잠이 안 오고 수면도 짧게 잔 것처럼 느낄 거라고 말씀하셨다.

그래도 아예 잠이 오지 않았던 여름을 생각하면 지금 상태도 감사할 따름이지만 인간인지라 한 가지가 해결되면 두 가지, 세 가지를 바라게 된다.

병원 진료실을 나오면서도 나름대로의 고민에 또 휩싸여 부모님께 또 어떻게 말씀 드려야 할까 고민했다.

그러면서 직원이 나에게 달력이 필요한지 묻겠지 라는 생각을 가지고 인내심 있게 기다렸다.

"최성은 님, 약 처방 나왔습니다. 다음 예약일 잡아 드릴게요."

예약일까지 잡고 카드를 내밀었다.

"결제 되셨구요, 다음주 4시 30분에 오시면 됩니다. 안녕히 가세요."

나에게는 달력에 대한 말을 꺼내지 않았다.

왜일까? 이상했다. 할머니가 달력을 받는 장면까지 목격한 사람에게 한번쯤 물어볼만 하지 않은가. 왠지 모를 섭섭한 마음으로 집으로 갔다.

그리고 이 상황을 엄마에게 말을 했더니 엄마가 단번에 그 이유를 알겠다며 나에게 내가 달력을 받지 못한 이유를 말해 주셨다. 결론은 아직 우리 사회에는 정신과를 간다는 부정적인 이미지가 남아 있기 때문에 그렇다는 것이다.

지난주에는 엄마와 같이 병원에 방문했다. 그때도 신년 달력을 배부하고 있었다. 심지어는 환자 한 명 한 명에게 달력을 가져갈 것인가에 대한 여부를 묻고 있었다. 그러면서 직원은 젊은 층은 달력을 가져가지 않고 나이가 있는 분들만 달력을 가져간다는 사실을 파악했다고 말했다.

그녀는 아마 달력에  큼지막하게 써져 있는 병원이 정신건강의학과이기 때문에 꺼리는 것이 아닌가에 대해 주요 원인일거라 추측했다.

뭐, 이해 못할 말은 아니었지만, 나도 정신건강의학과에 다니기까지 많은 고민이 있었다.

병원에 전화를 걸면 정신건강의학과가 아닌 "의원입니다." 라고 소개하는 한국 사회가 변해야 한다고 느꼈다. 즉, 몸이 아파서만 가는 병원이 아닌 정신이 아파서도 갈 수 있음을 직시하고 변화하는 마음가짐이 필요하다.

나도 부모님의 편견을 조금 누그러뜨리기 까지 많은 노력이 필요했다.

마음을 다부지게 먹어야 한다. 그런 마인드는 너무 약하다 등 나름대로 주변이나 가족에서도 상처를 많이 받았다.

정신적인 문제는 자신의 노력으로 극복 가능할 수도 있지만 신체화 증상으로 일상생활이 불가능하다면 전문의와 충분한

상담을 통해 약 복용이 이루어져야 한다. 몸이 아프고 일상생활이 힘들어진다는 것은 극복가능 선을 넘었다고 생각하기 때문이다.

약의 복용이 나중에 더 큰 부작용을 일으킬 수 있다는 편견과는 달리 3개월이 지난 지금 약을 꾸준히 복용하고 있고. 증상도 많이 나아진 편이다. 삶의 질이 높아졌고 나름대로 하루를 잘 보내고 있다고 여긴다.

아직 치료의 방향성을 따져 보았을 때 갈 길 이 먼 듯하지만 치료의 동행인이 있다는 것만으로도 힘이 된다.

되돌아보면 신년 달력을 못 받아서 서운한 것이 아니라 우리사회가 나를 서운하게 만든 것 같다.

우리 사회가 정신건강의학과를 아무렇지 않게 말할 수 있고, 이에 대한 지지가 확대되는 그날까지.

한국 사회가 건강했으면 좋겠다. 여러 의미에서!

## 9. 여자다움

요즘은 옛날 드라마가 더 재미있게 느껴진다.

옛날의 향수를 불러일으키면서도 뭐랄까. 시대 차이관도 확연하게 드러나는 게 신기하기 때문이다.

손권사가 '넝쿨째 굴러온 당신'이라는 드라마를 보고 있다. 당시 화제성과 시청률을 모두 잡은 이 드라마를 보다가 불과 십여 년 전에는 이런 발언이 가능했구나 싶어 신기했다.

18회에서 방이숙이 레스토랑 면접을 보러간다.

무거운 것도 척척 드는 모습에 다른 남자 직원이 우리 레스토랑에 꼭 필요한 인재라며 그녀를 고용하라고 권한다.

하지만 레스토랑 주인인 천재용은 그녀가 여성스럽지 못함을 꼬집어 이야기한다.

여성스럽지 못함이 레스토랑 업무와 무슨 관련성이 있단 말인가.

불과 십여 년 사이에 이런 대화가 오고갔음에 그저 충격을 감추지 못했다.

여자다움, 여성다움이 매력 어필로 다가오는 시대는 없었다.

어머니는 여성스러운 분이셨다고 말하기보다 강인했던 분이셨어요가 더 어울리지 않는가.

대표적으로 최토끼의 어머니를 들 수 있을 것이다.

최토끼의 어머니. 즉 친할머니를 나는 뵌 적이 없다. 일찍 돌아가셨기 때문이다.

토끼는 어머니가 고생을 많이 하셨다고 하면서 길게는 몇 달씩 돈 벌러 나가시는 아버지를 대신해 어머니가 가장으로서의 임무를 다하셨다며 어머니는 누구보다 강하고 의지가 센 분이라 하셨다.

그러다 든 생각. 이런 사람에게 여성스러움은 과연 어떤 의미를 지니는가. 남편을 위해 저녁상을 차리고 남자가 수저를 들면 그 다음에 수저를 드는 것이 여성스러움이라 표현하는가.

시대가 지났다고 좋은 방향으로 흘러갔다고 100% 확신할 수는 없다. 하지만 우리의 고정관념이 변모하는 것은 좋은 방향이라 본다.

예전에 '힘쎈 여자 강남순'과 '힘쎈 여자 도봉순'이라는 드라마를 재미있게 보았다. (물론 손권사의 취향이 들어가 리모콘의 주인이 바뀌기 힘들다는 점을 감안해야 한다.) 강남순과 도봉순이라는 여성이 막강한 파워를 지녀 빌런을 응징하는 스토리.

왜 남자가 아닌 여자를 설정으로 내세웠는지 궁금해 한 적이 있는가.

나는 그 드라마를 볼 당시 그러한 설정이 꽤 충격적이고 신선하다고 생각했다. 더 나아가 여성스러움을 고집하지 않아도 되는 세대가 도래했음을 몸소 느꼈다.

그렇다고 남자들을 비판하고자 이 글을 쓴 것은 아니다. 그저 남녀가 서로 다름을 인정하고 나아가는 방향을 만들어나가야 한다고 말 하고 싶다

## 10. 직면

최 양은 나와 가장 오랜 기간 친구로 지내 왔다.

고등학교 때부터 우정을 다져온 우리는 개인사부터 가족사까지 모르는 게 없다.

최 양은 야자시간에 탄산음료를 즐겨마셨고 떡볶이와 마라탕을 좋아하는 여자이며 편의점 신상을 지나쳐 버리지 못하는 K-MZ이다.

그렇게 마라탕 국물은 마시지 말자고 다짐해도 마지막에는 마라탕 국물을 야무지게 마시던 최 양은 겉옷을 걸치며 이야기 한다. 다음은 어디 카페 갈래? (역시 카페러버인 나에게 칭찬 받을만한 추진력이지 싶다.)

또 영이의 숲(쿼카 캐릭터인데, 솔직히 많이 귀여움) 굿즈에 진심인 최 양.

대학교 때도 공부 편식이 심해 좋아하는 과목에만 올인하는 최 양.

그녀는 항상 쾌활해서 주변사람들까지 기분 좋게 만드는 마성의 매력을 함유하고 있다.

그녀가 가진 파워 활발은 나를 기분 좋게 만든다.

내가 가지고 있지 않은 에너지를 가지고 있다는 것이 내가 그녀를 오랫동안 본 이유일 것이다. 하지만 건강이 좋아지지 않으면서 최 양을 만난 최근이 바로 8월 달 쯤음?그 쯤음일 것이다.

그 뒤로 그녀를 못 보았다.

내가 이 병원 저 병원을 돌아다닐 동안 최 양은 학업에 전념했다. 또 내가 요양을 하는 동안에 부지런히 대외활동을 하면서 알찬 학교생활을 해 나가는 것 같았다.

그녀를 정말 응원하고 싶었다. 실제로는 그녀가 나를 응원하지만 나는 진심으로 그녀를 더 응원하고 싶었다. 내가 받은 응원이 더 많다고 느끼기 때문이다.

하지만 참 이상한 마음이 든다. 최 양을 보고 싶은데 보고 싶지 않은 마음이 동시에 든다.

곰곰이 생각해 보았다. 나는 고등학교 때부터 쭈욱 최 양과의 약속을 좋아했는데. 최 양과 그저 카페에서 하루 종일 얘기만 해도 좋았던 시절이 있었는데. 왜 난 최 양과의 만남을 두려워하는 건지. 나도 나를 알 수 가 없었다.

계속 생각하게 되었다.

끊임없이 생각하고 생각했다.

그리고 이런 결론을 냈다.

나는 여전히 최 양을 나의 베프 중 한명으로 생각한다. 그래서 그녀의 긍정적인 면모들이 나도 긍정적이게 만든다.

결국 마지막 내 마음은 그녀에게 잘 보이고 싶다는 것이다.

잘 보이고 싶은 맘이란 참으로 힘든 맘이다. 결국은 나를 힘들게 하고 만남을 멀게 만들어 버리기 때문이다. 잘 보이고 싶은 마음은 좋은 마음도 나쁜 마음도 아니다.

'잘 보이고 싶은 마음은 내가 바꿀 수 있는 영역일까?, 마음먹기에 달린 일인가?'

나는 이 물음은 미지의 영역 남겨두고 싶다.

탐험가에게는 흥미로울 미지의 영역은 평범한 사람에게는 무섭고 불안할 때가 있지 않은가.

난 딱 그런 마음이다.

그녀를 알아가는 건 매우 흥미로운 탐험이지만 때로는 나 자신도 모르는데 남을 알고자함에 비롯된 내 불안이라 생각된다.

나는 오늘 최 양에게 집으로 놀러오라 초대했다. (카톡상으로 나는 그녀에게 핸드메이드 떡볶이까지 약속했다.)

기분 좋은 만남이 될 거란 걸 알면서도 그녀가 어렵게 느껴지기도 한다. 그래도 나는 앞으로도 최 양의 탐험인이 돼 보려 한다. 그리고 내 맘도 함께 들여다 볼 줄 아는 탐험인이 돼 보려 한다.

혹시 모르지 않은가

## 11. 생일

생일을 맞았다.

만으로 23살이 되는 싱숭생숭한 날이었다.

오늘은 베프 중 한명을 초대해 떡볶이를 만들어 먹었다.

어찌나 잘 먹던지 만들어 준 사람이 행복할 정도로 많이 먹고 갔다.

오늘 집에 온 내 친구를 J양이라 부르겠다.

J양 역시 인턴으로 바짝 불태우다 번 아웃이 온 현대 취준생 중 하나이다.

최근에 무기력하고 기분이 좋지 않고 어떤 일에도 의욕이 나지 않는다고 하니 여간 걱정이 아니었다. 그래서 J양과 다른 몇 명의 친구를 한꺼번에 초대했으나 졸업한 나와 J양을 제외하고는 모두 기말에 종강선을 다다르지 못했다며 올 수 없다고 신세한탄을 했다. 어쩔 수 없이 J양만 초대를 했다.

J양에게 떡볶이 먹자며 집으로 초대한 뒤(사실 집에 초대한다는 말 대신 "떡볶이 먹으러 와." 혹은 "우리 집에서 맛있는 거 먹을래?"로 문자를 보낸다. 왜 인지는 모르겠으나 "우리 집 와서 놀자."는 뭔가 느끼하다.)

재료까지 미리 준비해 두었다. 그녀가 좋아하는 중국당면은 아침에 뜨거운 물에 불려 놓고, 어묵은 먹기 좋게 손질해 두었다.

그리고 생각했다. 오늘 내 생일인데 뭐라도 사들고는 오겠지?(말하겠지만, 난 그렇게 속물은 아니다.)

J양은 11시경에 도착을 했고, 할머니가 직접 만드셨다는 청국장을 포장해 왔다.(이 자리를 빌려 J양의 부모님과 그의 할머니에게 감사함을 전하고 싶다. 난 청국장 킬러에 청국장에 쌈 싸 먹는 것도 무척이나 좋아한다. 글을 쓰는 방에서 풍겨오는 청국장 냄새가 글의 창작력을 높일 수 도 있다는 착각을 만들어 준다.)

그리고 내가 좋아하는 캐릭터의 보온병도 함께 지참해 왔다. 그녀가 준 청국장을 야무지게 냉동보관 한 뒤 떡볶이를 배부르게 먹은 뒤 젤리, 딸기, 소금빵까지 후식 배를 채우고 얘기를 했다.

J양은 1월에 삿포로 여행을 결심했다며 환전 이야기를 했다. 마침 두 달 전 후쿠오카에 다녀오신 아버지가 26만 원 가량의 엔화를 그대로 한국까지 들고 오시는 바람에 엔화가 많았는데 조금은 저렴한 값에 J양에게 팔았다. 그녀는 엔화 다음으로 삿포로 여행에 대해 미주알고주알 이야기하기 시작했다.

J양은 말 그래도 파워 J이다. 계획형. 그것도 무서운 계획형이다.

그녀는 어디가 포토 스팟인지를 검색해 두는 것에서 나아가 어느 각도에서 찍어야 잘나오는지도 공부하는 중이다.(공부를 그렇게 했어봐. J야.. 너 서울대 가고도 남았다.) 또 유튜브를 보면서 어디를 가야할지, 무슨 음식을 먹고, 돈키호테에 가면 어떤 것을 필수품으로 사야하는지.. 주경야독이 따로 없다.

그래도 오늘 그녀를 보고 행복했다.

걱정했던 것과 달리 잘 지내고 있어서 다행이었고, 소소한 꿈(J양은 대학생 때부터 일본에 가고 싶어 했다.)을 위해 준비해 가는 친구를 보면서 행복했다.

행복했다.

힘들지만 예상치 못한 이들에게 축하를 받아 행복한 하루였다.

힘든 날 생일이라 억울하기도 했고 가장 찬란한 젊은 날에 아픈 것 같아 서럽기도 했지만 마지막이 행복했기에 모든 것이 용서된다 싶었다.

오늘 나에게 웃음과 행복을 준 J양에게 크게 이야기 하고 싶다.

14살 때, J양이 뒤에서 묵묵히 청소하는 모습을 처음 보았다. 그리고 다가가서 얘기하고 싶었다. 그렇게 우리는 친구가 되었다.

친구가 된 그 순간에 나는 마음속으로 소리 질렀다.

" 이야야야야야야야ㅑ야야 J랑 친구먹었드아아아아아아"

그 처음의 마음을 계속 간직할 수 있도록.

다시 그 때 마음처럼.

J양에게 절대 상처 주지 않는 친구가 되도록 노력할 것이다.

## 12. 다꾸

악몽에 시달린 이후에 불면증이라는 친구가 찾아왔다.
그렇게 쏟아질 듯이 잠이 왔었는데 이제는 잠이 오지 않았다.
나는 잠을 좋아했었다. 이런 문장의 의미는 쉽게 과거에는 잠을 자고 좋아했으나 지금은 그렇지 않다는 의미인데 보통 영어문법에서 used to 동사 원형 뭐,, 대략 이런 것을 알려주지 않았던가. 그런 과거의 했던 것들이 단순히 문법으로 표현해 낼 수 있다니. 인간이란 그저 신기한 존재이다.
암튼 잠을 자기 위해서는 독서나 심신 안정에 도움이 될 만한 것들로 시간을 채워 보려고 하는데 요즘에 다꾸 유튜브를 보는 게 그렇게 재미있을 수 없다. 핸드폰을 늦게까지 들여다보는 행위가 수면에 방해가 될 법하지만 나만의 심신 안정에는 제격이다 싶다.

초등학교 때까지만 해도 일기 쓰는 것이 방학 숙제 중 가장 싫었는데, 일기를 쓰는 행위는 mz들에게 꽤 인기이다. 그 이유를 궁금히 생각해 보았는데 일기는 현대인의 질병이라고 하는 정신적 스트레스의 해소물이 되기 때문이다. 즉, 일기는 자신만의 창작물을 만드는 데서 기인한 행복감을 느끼게 하는 도구이다.

다꾸하고 일기를 쓰는 것은 생각보다 많은 돈과 시간이 투자된다는 사실을 꽤 뼈저리게 느꼈는데, 내 친구 J양이 극 공감을 했다.

첫 번째는 생각보다 스티커나 배경의 구조가 수학적 접근이라는 점이다. 두 번째는 유튜버들 만큼의 창작물이 나오지 않으니 금방 다꾸 의욕이 떨어진다는 것이다.

J양은 자그마치 스티커에만 몇 백을 쏟아 부었다고 했다. 이러한 이유로 다꾸의 의욕을 잃어버렸다는 J양에게 스티커를 그만 사라고 이야기하고 싶다.

암튼, 일기를 쓰는 일은, 자신의 일기를 보기 좋게 꾸미는 일은 나를 돌아보고 나의 하루를 꾸미는 것 같다.

하루를 꾸미는 일은 쉽지 않다.

재수도 좋으면 좋고, 가끔 예상치 못한 고마운 일도 있으면 좋다. 갑작스럽게 선물을 받는다거나 누군가의 도움을 받으면 더더욱 좋다.

그런 날이 대체 며칠이나 될까.

인간은 하루에 집중하는 시간이 그리 길지 않다고 한다. 어쩌면 그 나머지의 시간은 인간이 버리고 있는 셈이다. 재수도 없고 시간을 버린다면 하루가 아깝다고 느낄 수 있다.

나 역시 그런 날들이 인생의 6할은 된다고 믿는 사람이다. 그럴수록 소소한 행복을 느끼면 버리는 시간에 일말의 행복을 느끼는 시간으로 변하지 않을까?

눈을 감고 내가 느꼈던 일말의 행복을 생각해 본다.

오늘 오랜만에 알라딘 서점을 갔다.

영등포지점에 가서 만화책 칸을 둘러보다 마음에 드는 책 3권을 집어 들고 계산대에 갔다. 나에게 2만 원 이상을 구매했다며 뽑기로 할인 쿠폰을 증정해 준다고 했다. 비록 제일 낮은 5등에 걸려 별로 큰 혜택을 받지는 못했지만 예상치 못한 결과에 마냥 기분이 좋았다.

한파여서 밖에 서 있기 힘들었는데 감사하게도 버스가 금방 와서 버스 안에서 오래도록 몸을 녹일 수 있었던 것.

오늘 나의 일말의 행복을 느끼는 순간이었다.

내일도 그런 행복을 만들기 위해 따뜻한 카페에 갈 것이다. 나를 위해 맛있는 음식을 먹고 나를 위해 책을 읽을 것이다.

마지막으로 나의 하루를 장식할 피날레의 활동도 잊지 않을 것이다.

나의 하루를 꾸밀 수 있는 마지막은 바로 일기 쓰기와 다이어리 꾸미기.

## 13. 독립서점

나는 독립서점에 가는 것을 참 좋아한다. 그리고 오늘 동생의 자취집에서 1시간 넘게 걸리는 해방촌 독립서점 두 곳을 방문했다.

내가 어렸을 때는 독립서점 대신 대형서점과 중고 서점이 있었다. 20대 때부터 독립서점의 개념이 생겨나고, 독립출판이라는 것도 젊은 층들에게 인기를 받고 있다.

나도 언젠가는 나의 글을 책으로 묶어 보리라 생각하고 지금 이 에세이를 쓰고 있다. 3년 안에 책 한 권을 만들 수 있지 않을 까라는 소소한 희망을 가진 채 오늘도 힘을 내 자판기에 내 손을 올려 본다.

오늘은 사람들의 손을 탄 책을 많이 구경하고 왔다. 10대, 20대 초반까지는 대형 서점에 진열되어 있는 반듯한 책들에게 매력을 느꼈지만 지금은 사람들의 손때가 탄, 종이가 헤진, 은은한 사람의 냄새가 풍겨 있는 책들이 좋다. 그것이 바로 독립서점의 매력이라면 매력일 것이다.

처음에는 갖고 싶은 책이 딱 한 권 남았는데 사람들의 흔적이 많이 남아 있어 책을 사야할지 말아야 할지 엄청 고민했던 예전의 내가 생각났다. 새 책에 온전히 나의 손만 타고 싶다는 욕심 때문이었다.

독립서점은 특히 대형서점과 비교했을 때 주변 상권에서 살아남을 확률이 크지 않기 때문에 책을 정가로 판매하는 경우가 대다수이다. 할인 안 된 정가를 사는데 남의 손이 깃든 책을 가져 와야 한다는 것은 상상할 수 없는 일이었다.

하지만 이런 내가 어느 한 독립서점을 지속적으로 다니면서 사람들의 손을 탄 책이 얼마나 소중한지 느꼈다. 나는 같은 서점을 1주일에 한 번씩 방문해 신작과 새로 들어온 책들을 둘러보고 온다. 자주 다녀서인지 책방지기 분이 포인트를 많이 모으셨다며 나중에 다시 꼭 들러 달라고 했다. 그럼 난 속으로 '다음 주에 또 올 거니, 걱정하지 마세요.'라고 웅얼거렸다.

꽤 큰 독립서점이라 사람들도 많이 찾아오고 특히 나와 비슷한 젊은 여성층이 주요 층인 건 확실했다. 그들은 한권의 책을 품기 위해 열심히 책을 둘러본다. 꼭 구하기 힘든 물건을 찾기 위해 발품 파는 것처럼 나의 기분, 나의 상태, 내가 관심 있는 분야와 찰떡인 글을 찾기 위해 눈을 굴리고 손으로 책장을 넘기고 다음 섹션대를 걸어간다.

이 과정이 얼마나 열정적인지를 느꼈다. 그리고 왠지 모르게 그들을 응원했다.

그리고 바랐다.

마음에 드는 책을 고르기를.

읽으면 자신의 하루가 언제 지나간 지도 모르는, 묵묵히 글자가 응원해 주는 그런 책을 찾기를.

책을 찾으려 책장을 넘긴 책들은 흔적을 남기며 정말 사람이 만들어 낼 수 있는 자연스럽고도 아름다운 흔적임을 나는 늦게야 알았다.

나는 가끔씩 사람들이 책장을 넘긴 책들을 따라 넘겨보기도 한다. 재미있을 까라는 호기심도 있고 왜 이 책을 들여다보았을까 궁금증이 증폭된다. '혹시라도 나와 비슷한 독서 취향을 가지고 있는 사람일까?'

독립서점에 가면 대형 서점에선 느낄 수 없는 시간 그 자체의 시간을 제대로 느낄 수 있다.

독립서점에 특정 책을 사려고 오는 사람을 없을 것이다. 아마 특정 책을 급하게 구매하려고 마음먹었다면 오지도 않고 인터넷 배송을 그것도 할인을 받으며 사지 않을까?

그들이 원하는 건 아무에게도 구속 받지 않는 책 읽는 시간, 그리고 나만을 위한 시간을 갖고 싶은 것이다.

그 누구도 방해할 수 없는 시간 안에서 책과 대화하고 싶고, 책을 더 알아가고 싶을 것이다.

나도 그런 시간을 원한다.

나와 같이 최종 목적지가 독립서점이라 느즈막히 옷을 입고, 밥을 먹고 나온 이들도 있을 텐데..

이런 생각을 하면 책이 더 가치 있게 느껴진다.

사람들이 이제는 책을 안 읽는다고 해도.

더 이상 종이 책을 만들지 않고,

독립서점이 문을 닫는다 해도.

걱정할 필요는 없다.

그렇다면 내가 당장 내가 가지고 있는 책들을 풀어 서점을 만들 테니. 나의 이야기가 누군가의 시간을 책임질 수 있는 그날까지.

나는 계속 글을 쓸 생각이다.

## 14. 모델

친구 H양에게 전화가 왔다. 나에게 모델을 해 볼 생각이 없는지 물었다. 자신이 학교에서 만들고 있는 옷이 있는데 교수님의 칭찬을 받음과 동시에 교수님께서 그 옷을 마네킹과 모델 둘 다 착용 샷을 촬영해 오면 가산점을 주겠다고 약속을 하셨단다. 모델을 찾고 있던 그녀는 나에게 연락했다.

친구가 맛있는 것을 사준다 했기에 오케이 했다. 워낙 아파서 살이 많이 빠졌기에 옷을 입고 찍어 주는 것은 큰 문제가 되지 않는다고 생각했다. 그러고 보면 H양과는 중학교 1학년부터 친구였고, 서로를 잘 알아서 말을 하지 않아도 어색하지 않은 그런 사이였다.

어떤 전공을, 어떤 일을 하면서 살지 고민하던 H양은 옷 입는 것을 좋아했고, 연예인들의 패션이나 화보를 유심히 보던 학생이었다. 지금 생각해 보면 그녀는 이미 자신이 무엇을 좋아하는지 알고 있었던 것 같다. 나와는 다르게 말이다.

그 친구가 얼마나 급하면 하루 전에 전화로 이런 얘기를 하는지 짐작이 갔기에 그녀의 부탁을 들어주기로 했다. 그나저나 내가 문제였다. 아프니까 영 피부도 칙칙하고 얼굴색도 좋아 보이지 않았다. 몸만 말랐을 뿐이지 나 같아도 모델로 날 쓰지는 않을 것 같았다. 친구에게 큰 도움이 되고 싶었는데 가서 도움이 못 되면 어쩌지 싶어 허락했음에도 걱정이 물밀 듯 밀려왔다. 그냥 몸이 안 좋다고 하고 다른 사람을 찾아보라고 이야기해야 할 지 많은 생각이 들었다.

빨리 자고 아침 일찍 데리러 오겠다는 친구 H양을 생각하면서 잠을 뒤척였다. 역시 꿈은 꿈이지만 안 좋은 꿈을 꾸면 하루 종일 기분이 썩 좋지는 않다. 그 날도 그런 날이었다. 눈이 날리고 어둑한 날씨가 날 반기니 눈도 반갑지 않았다. 그렇게 추웠는데 촬영장에 가보니 준비된 의상이 치파오 스타일의 동양스러움과 데님 원피스가 조화를 이룬 여름에 입을 법한 의상이었다.

그 친구에게 춥다고 온갖 투정을 다 부린 후, 흰 배경으로 사진을 찍었다. 친구가 어떻게 찍어야 한다고 말하면 나는 최대한 잡지에서 많이 본 듯하게 자세를 잡고 사진을 찍었다. 인생에 머리털 나고 모델이라는 일을 해 볼 수 있을까 생각해 보니 앞으로 없을 것 같다는 생각이 들었다. 모델이라는 경험은 생각보다 재미있었다.

친구는 그날의 작업물을 가지고 가서 교수님께 칭찬을 받았다고 했다. 나에게 고맙다며 앞으로 자신의 과제를 잘 부탁한다 말했다. 그래서 나는 앞으로 어정쩡하게 밥으로 때우려고 하면 어림도 없다고 으름장을 놓았다. (사실 촬영장까지 동행해 주신 H양의 아버님께서 갈비탕, 육개장, 모둠 만두까지 실

컷 사 주셔서 배가 터질 정도로 먹었다.)

사실 그 날 왠지 모르게 나의 몸으로 남에게 도움을 줄 수 있음에 신기함과 함께 자랑스러움을 느꼈다. 오랜만에 느껴보는 감정이라 벅찼다. 팔에는 며칠 전에 응급실에 가서 맞은 링거 자국으로 퍼렇게 멍이 들었지만, 난 오늘 용기를 내어 핸드폰과 사진기 앞에서 나의 팔을 내 보였다.

사실 당당하지는 못했으나 최대한 나를 보여준다고 생각하며 촬영에 임했다. 집에 돌아온 후 친구가 보내준 작업물 역시 맘에 들어 카톡 프사로 지정해 놓았는데 여기저기에서 작업물 정말 잘 나왔다며, 모델 같다며 칭찬을 했다.

최근까지만 해도 밖에도 못 나가고 사람들 앞에 서는 것도 어려웠던 내가 큰일을 해낸 것 같아 그 하루가 의미 있었다 말하고 싶었다. 그리고 그 만큼의 용기를 낸 나에게 잠이 잘 오지 않아도 웃으며 지새울 수 있겠다 말하고 싶었다.

그런 날이었다. 기분 좋은 날과 안 좋은 날 중

후자였다가 전자로 변한 날.

## 15. 인생은 숨바꼭질

12월을 맞아 종강을 한 대학생 친구 중 Y양이 있다. Y양은 내가 본 친구들 중 가장 착한 친구 중 하나이다. 또 남의 말을 잘 들어 주고, 공감도 열심히 해 주는 공감형 친구이기도 하다.

비슷한 분야에 관심을 가지고 있기도 하고 둘 다 영어라는 큰 짐을 지고 가는 것이 비슷했기에 오히려 고등학교 때보다 대학생 때 더 친해졌다.

공감대가 비슷해서 많은 이야기를 나누고, 토익스피킹도 비슷한 날짜에 응시해 비법을 나누며 서로 으쌰으쌰 했던 기억이 난다. 그녀는 최근에 k대학교 대학원에 합격했다. 말로는 표현하지는 않았으나 얼마나 마음 졸이면서 공부했을지 짐작이 갔기에 정말 진심을 다해 축하했다.

축하해 주고 나니 뭔지 모를 이상한 마음이 들었다. 내가 가고 싶어 하는 길을 남이 걸으니 질투가 났다는 표현이 맞을 것 같다. 10대의 나는 이 나이쯤이면 그 누구보다 무언가에 성공해서 나의 꿈을 펼칠 커리어우먼을 그렸는데 현실은 아픔에 찌들어 자신의 마음도 컨트롤 하지 못하는 애송이에 불과했기 때문이다.

그녀는 내가 가고 싶어 하는 길을 걷을 예정이고 나의 예정 길은 앞이 보이지 않는 캄캄한 어둠속이라고 느꼈다. 나도 하고 싶은 일이 많은 20대를 보내고 있지만 그녀와 달리 나는 침대와 집에서 대부분의 삶을 살고 있다. 그녀와 나는 비슷하게 산 듯 보이지만 결과가 달랐다. 미래도 당연히 다를 것이다.

집에 돌아오면서 언니가 예약해둔 호캉스 목적의 호텔에 가서 재미있는 책이나 읽으면서 마음을 풀어야겠다고 마음먹었다. 하지만 집에 와서 책과 먹을 간식거리, 잠옷을 챙기는 도중 두통을 호소했다.(나는 15년 경력의 편두통과 희귀질환을 가지고 있는 환자이다. 이 이야기는 책에서 차근차근 이어나가도록 하겠다.)

내가 호텔에 가기는커녕 가족들도 모두 가지 못했다. 밤에는 응급실에 갔다. 두통이 참을 수 있는 선을 넘었다고 느꼈다. 응급실에 가서 진통제를 맞으니 서러움이 몰려왔다. 혹시라도 질투를 느꼈기 때문에 신이 나에게 이런 고통을 주신건지도 모른다는 이상한 발상도 했다. 이럴 때 마다 내가 믿고 있는 신을 원망하곤 한다. 부모님을 원망할 수도 없었다.

예전에는 부모님이 상처 받을 만한 이야기를 많이 했기에 더 이상은 그런 말들을 꺼낼 수가 없었다. 그런 복잡한 마음이 들 때마다 나는 숨어서 울었다. 우는 것은 창피한 일이라고 생각했다. 가족들은 웬만해서 내가 울지 않는다고 생각하지만 사실은 뒤에서 몰래 운적이 정말 많았다.

매주 심리 상담을 받아도 내가 불안한 이유는 변하지 않았다. 누군가의 위로도 위로로 느껴지지 않을 때마다 '나는 세상과 멀어지는 구나!'를 느낄 때마다 책을 읽고 글을 썼다.

마음을 가다듬고, 남들이 자는 시간 책을 한 장씩 넘겨갔다. 책으로 빠져드는 시간, 아무 잡생각 없이 오로지 책에 집중할 때 위로를 받았다. 인간이 주는 말의 위로 보다는 책을 읽다 보면 쫓아가는 모험의 위로를 받았다.

노먼 메일러의 책을 읽으면 책의 앞부분에 전쟁을 앞둔 병사들이 큰돈을 걸고 포커게임을 하는 장면이 나온다. 심지어 병사 중에 하나는 아내에게 보낼 돈을 다 날리면서까지 그 포커게임에 가담한다. 이들은 모두 하나의 같은 생각을 가지고 있다. 내일이면 살지 죽을지 모르는 인생, 그냥 돈을 써버리자는 생각 말이다.

우리는 어제를 지냈고, 오늘을 살고, 내일을 기약한다. 어쩌면 인생은 나와 숨바꼭질을 하고 있는지도 모른다. 그리고 나의 슬픔 역시 꼭꼭 숨기다 보면 찾게 되는 것이 있을 것이다. 슬픔이 나에게 주는 의미와 함께 슬픔을 견디는 법에 대한 것.

16. 우울과 불안

“불안은 없어서는 안 되는 감정 중 하나입니다.”
의사가 말했다.
“하지만 과하면 문제가 되겠죠.”
나에게 해당하는 말이다. 인정해야 했다.
2023년 무척 무더웠던 8월에 나는 심한 우울, 불안, 공황장애 진단을 받았다. 몸도 마음도 힘들었다.
6월에 색전술이라는 시술을 받은 이후 뇌출혈과 함께 심한 두통으로 병원에 들락날락한 지 1달이 지났을 쯤이었다. 나는 죽을 것 같다는 기분을 느꼈다.
동시에 파국적인 생각들이 내 생각을 지배하면서 매일 불안에 떨었다.
그렇지만 결코 정신건강의학과에 갈 생각은 하지 않았다. 나는 곧 이겨낼 강한 사람이라고 생각했기 때문이다.

나는 강한 사람이었었다.
어렸을 때 나는 무서울 게 없는 강한 아이였다.
나에게 무섭다는 건 고통과의 싸움이었다.
7살 무렵 나는 심한 두통을 호소하기 시작했다. 이유도 원인도 없는 두통에 가족들은 한방, 양방을 가릴 것 없이 병원에 드나들었으나 소용이 없었다.
9살 때 두통과 상관관계가 있을 것 같다는 의사는 뇌의 이상을 발견했고 15년 이상 치료와 추적 관찰을 하며 살아왔다. 하지만 두통이 시작되면 속절없이 침대 생활을 해야 했다.

짧게는 5시간 길게는 하루 이상 지속되는 고통에 진통제를 가방에 넣어가는 것은 습관 중의 가장 중요한 습관으로 자리 잡았다. 어쩌면 책보다도 중요했다.

"자신의 어린 시절은 어땠나요?"
의사가 나에게 물었다.
"아팠던 기억밖에 나지 않아요. 학교 결석을 하면 다음 날, 새 알림문, 새로운 진도, 새로운 교과서가 있었고, 친구들 것을 빌려 숙제를 해결했어요. 제가 초등학생 때는 방사선 치료를 받았는데 머리를 햇빛으로부터 보호하기 위해 어머니가 두건을 씌워 주셨어요. 근데 남자애들이  백혈병이라고, 옮는 질병이 아니냐며 저를 놀렸어요."
누군가가 과거로 돌아가지 않겠냐고 물어 본다면 나는 절대 돌아가지 않을 것이다.

그렇지만 난 과거에 당당했다. 강하고 담대하게 살았다.

그리고 내가 당한 놀림과 어찌 할 수 없었던 질병 모두 이겨낼 수 있다고 끊임없이 격려했다.

그러면서 내 마음이 아파하는 줄도 몰랐다.
이기는 것이 곧 나를 위한 길인 줄 알았다.
그렇게 10대를 보냈는데 20대에 큰 아픔이 찾아오자 멘탈은 기다렸다는 듯 신호를 보냈다.
집에서도 불안은 하루 종일 나의 발목을 잡으며 내가 눈물 한 바가지를 흘리며 잘 때까지 놓아주지 않았다.
불안은 그렇게 찾아왔다.
예상치 못한 방식으로, 예측하지 못한 시간에.

## 17. 지난여름

눈을 떠 보니 깜깜한 밤이었다. 옆에는 아무도 없었다. 기계 소리만 고요히 들릴 뿐이었다. 분명 마지막에 엄마에게 좀 이따 보자고 말했다. 그런데 엄마는 내 옆에 없었다.

이상함을 느낀 나는 일어나서 엄마를 찾으려고 했다. 더 이상한 것은 내가 다리를 들어 올리려 힘을 주는데 누군가가 내 팔과 다리를 몽땅 묶어 놓은 것이다. 말을 해야지 싶어 입을 움직이는 순간 말을 할 수 없었다 .누군가 내 입에 무언가를 삽관했다. 말하는 소리가 들려 옆을 휙 돌아보았는데 낯선 이가 나에게 다가와 말을 건넸다.

"환자분, 여기 중환자실입니다. 무서우시죠? 시술 중 문제가 있어 이곳에 와 계시는 겁니다. 기억 안 나세요?"

맞다. 불과 몇 시간 전에 나는 시술을 받으러 시술실로 들어간 환자였다. '나에게 무슨 문제가 있었다니, 그래서 내가 지금 말을 할 수 없고, 움직일 수도 없구나. 무섭다' 눈물이 막 흘렀다. 엄마도 날 보낼 때 눈물이 그렁그렁하며 결국 우셨다. 나중에 보자고. 우리 딸 할 수 있다고. 그것이 엄마와 내가 나눈 마지막 대화였다.

날 이송해 주신 분은 이 병원이 우리나라 최고의 병원이고 좋은 분께 시술받으니 울지 말라고 했다. 그런 말들이 다 생각이 났는데 '나는 지금 여기서 뭐하는 거지?'라는 생각이 들었다. 분명 나의 마지막 기억과 다짐과는 전혀 다른 곳에 누워 움직일 수 없었다. 주변을 살피기 시작했다.

낯선 이는 다름이 아닌 간호사 선생님이라는 것을 알았다. 눈물을 닦아 주시더니 석션을 해 주셨는데 그때 생지옥을 경험했다. 간호사 선생님은 자도 괜찮으니 눈을 감고 자려고 해 보라고 했다. 잠도 편할 때 잠이 오는 거지 눈 떠 보니 완전히 다른 곳에 오니 없던 잠도 날아갔다. 이제야 몸이 아프고 머리가 깨질 듯이 아프다는 것을 느꼈다.

침대를 팡팡 치면 간호사 선생님이 달려오셨다. 그리고 어디가 불편한지 아픈지 짚어 보라며 잠깐 한 손을 풀어 주셨다. 나는 이마를 짚었는데 간호사 선생님이 머리가 아플 거라며 진통제를 넣어주셨다. 양쪽 팔을 그때 보게 되었는데 양쪽 팔에 4개씩 링거가 꽂혀 내 생명을 도와주고 있음을 알게 되었다.

고요한 기계 소리는 내 생명을 도와주는 기계의 움직임이었다. 눈 시력이 좋지 않지만, 간호사들이 서로 시간을 묻는 소리에 귀를 기울이며 몇 시간이 지났는지 감을 잡았다.

시간이 정말 가지 않았다. 밖에서 눈물로 지새울 엄마, 대전에서 내 소식을 들었을 아빠, 언니, 동생. 많은 생각들이 아픈 내 머릿속을 가득 채웠다. 마음이 불안해지는 것을 달래기 위해 찬송가를 속으로 불렀다. 그리고 스스르 잠이 들었다.

그 다음날 중환자실이 아침은 어느 때보다 분주했다. 물론 나도 분주해졌다. 아침부터 날 케어해 주시는 간호사님도 바쁘고 시간 차이를 내며 3~4명의 의사들이 무리를 지어 왔다. 그러다 나중에는 동물원 원숭이를 보러 오는 사람들처럼 10명 넘게 내 주위를 둘러싸며 알아듣지 못할 용어로 상의를 하더니 오늘은 발작 위험성 때문에 중환자실에서 상태를 두고 봐야 한다는 대략의 결론을 냈다. 나는 눈치껏 알아들었다.

보통 중환자실은 의식이 없는 사람들도 많았지만 의식이 분명해서 중환자실을 탈출하고 싶어 하는 사람들도 많았다. 나도 그중에 한 명이었다. 기억상으로 이 날 나는 엄마를 만났다. 엄마를 꼭 안는 순간 그동안의 무서움이 사라졌다. 고생했다며 울지 않고 씩씩한 모습을 보여주었다.

엄마에게 정말 고마웠다. 아마 엄마가 대성통곡했으면 나는 더 울었을 것이다. 내 다리를 주물러 주면서 몸 곳곳을 살펴보셨다. 그리고 나는 다시 이별을 했다. 중환자실에 있으면서 여러 생각이 스쳐지나갔다.

내가 이런 일을 겪지 않았더라면 가족의 소중함과 건강의 소중함을 몰랐겠지.

18. 음식, 그 위의 의미

토끼를 닮은 아버지는 강경 한식파이다. 그중에서도 김치찌개를 특히 좋아하신다. 김치찌개에 돼지고기는 필수로 생각하시는 분이랄까.. 아버지가 좋아하는 음식을 내가 좋아하지 않는 것은 다행스런 일이다. 서로가 좋아하는 음식을 각자 먹을 수 있기 때문이다.

아버지는 작년에 사업을 마무리 하신 후 식품회사에서 일하시기 시작하셨다. 식품회사에서 다른 공장으로 식품을 옮기는 운전 일을 주로 맡아서 하시는데 점심이 되면 휴게소나 음식점에 들어가셔서 식사를 하신다. 주로 드시는 음식은 한정적인데 김치찌개, 비빔밥, 떡국, 샐러드가 대표적이다.

아버지는 저녁에 들어오시면 주로 오늘 점심에 무엇을 드셨는지 말씀하시곤 하는데 "그냥 김치찌개 먹었어."는 5번 중 2번 정도로 빈번히 말씀하신다.

그 취향을 일찌감치 파악하신 어머니는 김치 만드는 일을 의무적으로 여기셔서 동치미, 파김치, 오이소박이, 깍두기, 열무김치에 이르기까지 정말 못 담그시는 김치가 없으실 정도로 '김치 장인'이다.

김치 장인으로 거듭나기까지 가족의 김치 소비를 도맡아 오신 것은 역시 아버지이다. 아버지가 김치와 짝꿍으로 생각하는 고기 역시 삼겹살인데, 아버지는 삼겹살하면 일찍 돌아가신 친할아버지가 생각난다고 하셨다.

가난한 집 둘째 아들로 태어난 아버지는 한 달씩 혹은 그 이상 일을 하러 나가는 아버지와 공부하는 큰형을 대신해 농사일과 집안일을 도맡아 했다고 한다. 그래서인지 도시보다는 시골스러움이 더 잘 어울리는 남자가 우리 아버지이다.

매일 전원일기를 보면서 자신의 옛 이야기를 다시 회상해 나가는 이도 우리 아버지다. 때로는 배가 너무 고픈데 밥이 없어 감자와 물로 끼니를 때웠다는 이야기를 아무렇지도 않게 이야기하는 우리 아버지. 아버지는 단 한 번도 밥공기에 밥을 남기신 적이 없다.

커서는 안 해본 일이 없을 정도로 프로 알바러로 살았으며 친할아버지가 돌아가시기 전 알바비로 삼겹살에 소주를 대접해 드린 일이 자신이 아버지께 해드린 일 중에서 가장 다행스런 일이라고 생각하신다.

그렇게 일찍이 아버지를 여읜 우리 아버지는 아마 삼겹살을 드실 때마다 자신의 아버지를 그리워하지 않을까라는 생각을 한다. 이처럼 누구에게나 단순한 음식 그 이상의 의미를 갖는 것이 분명 있을 것이다.

## 19. 마음이 우울해도 화창한 날이 좋아

버지니아 울프는 이런 말을 했다. “글은 날 것에서부터 오는 것이 아니다. 그렇기에 책을 많이 읽고 새로운 환경을 접해야 한다.” 새로운 도전과 새로운 경험. 그것이 나에게는 책을 써 보는 일이었다.

조금은 느려도 남들은 앞으로 가고 나는 망부석처럼 아무것도 안한다고 생각해도 남들과 비교하지 말고 나의 일을 해보자고 생각했다. 독립서점에 가서 독립출판 에세이를 쓰시는 분들을 보면 속으로 박수가 저절로 나왔다. 그리고 속으로는 작은 꿈을 키웠다. 나도 책을 한번 집필해 보겠노라고.

나의 작은 소망이자 꿈인 책 집필은 처음부터 난항을 겪었다. 이 글의 앞쪽은 내가 꾸준히 블로그에서 글을 써 왔기 때문에 교정에 어려움을 겪지는 않았으나 책의 제목을 정함에 있어 많은 고민을 하게 되었다. 그러다 바로 이 글을 끝내기 전 동생의 집에서 햇살을 맞으며 책을 읽는 도중 이런 생각을 하게 되었다. ‘마음은 불편해도 화창한 날씬 참 좋구나.’라고.

그러자 이 글의 제목으로 ‘글을 읽는 분들도 한 번쯤은 기분이 우울해도 날씨가 화창하면 그 자체로 위로를 받은 적이 있는 것처럼 이 책에도 의미를 담아내면 어떨까?’라는 생각이 들었다.

나 역시도 그렇다.

마음이 우울해도 화창한 날이 좋다.

## 20. 영화관에서 있었던 일

난 공황장애를 겪은 이후에 폐쇄적인 공간에 가는 것을 기피하게 되었다. 특히나 어렸을 때부터 좋아하는 영화관에 가지 못하게 된 것이 큰 고역이었다. 그러다 정신건강의학과에서 약을 처방 받은 이후로 영화관에 가는 것이 큰일 중 하나가 되었다.

물론 혼자서는 가지 못해서 가족들과 가야 하지만 영화관에 갈 때 마다 설레는 것은 옛날이나 지금이나 똑같다. 우리 집에서 영화관은 매우 가까워서 도보로 10분이면 갈 수 있다.

고 3때, 수능이 끝난 직후에는 일주일에 3번 정도 영화를 볼 정도로 영화를 좋아했다. 지금도 해리포터를 볼 때는 밤을 샐 정도로 집중해서 본다. 누구나 자신에게 큰 충격을 준 영화가 있지 않을까 생각이 든다.

나 같은 경우는 영화를 본 일보다 영화관에서 벌어진 일이 충격으로 다가왔다. 지난 11월 매표소 근처에는 노란 우체통이 있었는데 나는 이 우체통의 의미를 알고 편지를 써서 보내길 마음을 먹었다. 오늘 영화관에 마음먹고 온 작은 다짐부터 내가 무슨 상황에 놓였는지 쓰기 시작하니 편지가 한 장이 넘어버렸다. 고이 접어 우체통 함에 넣고 답장이 오기를 손꼽아 기다렸다.

그리고 한 달 만에 온 답장은 내가 영화관에 다시 갈 수 있는 큰 발판이 되었다.

편지에 온 답장은 이러했다.

"안녕하세요. 온기님.

날이 많이 추워졌는데 무사히 잘 지내고 계신가요?

얼마 전에 첫 눈이 내렸고 이젠 주변 사람들 모두 두꺼운 코트와 패딩을 챙겨 입는 날씨가 됐어요. 이제 정말 겨울이 왔네요. 올 한해 이런 저런 일이 있으셨을 텐데, 제 답신이 온기님의 올 한해의 마지막을 장식할, 아주 작은 추억이 되었으면 하는 바람이에요.

이제 온기님께서 남겨주신 고민에 대해 함께 이야기를 나누어 볼까요? 편지를 써주신 날에 영화를 보셨군요?

영화를 보러 가기 전에 온기님의 가족 분들이 지지와 응원을 보내주신 만큼 온기님도, 온기님의 가족 분들께서도 뜻깊은 날이었을 것 같아요. 그날 본 영화는 재미있으셨는지, 어떤 영화를 보셨는지 여러 모로 궁금하네요, 어떤 영화였든 온기님의 용기 어린 한 발자국, 한 발자국이 만들어낸 결과였으니 그것으로 충분할지도 모르겠어요. 우리에게 주어진 힘든 상황들을 묵묵히 버텨낸 것만으로 우리 모두는 대단하고 대견하다고 그동안 너무너무 잘해왔다고 응원 받아 마땅할 거예요. 온기님은 존재만으로 소중한 사람이고 세월이 아무리 흘러도 변치 않는 사실이에요. 온기님은 강인하신 분이에요.

온기님께 온기님 당신을 사랑해 달라고 부탁드리고 싶어요. 물론 쉽지 않다는 것을 잘 알아요. 내가 남이 아닌 나를 너그러운 시선으로 바라보고 사랑해주는 것은 무척 어려운 일이죠. 온기님께 이런 부탁을 드리는 저도 저를 온전히 사랑하지 못하는 날이 참 많아요. 그래도 우리가 우리를 사랑해 주지 않으면 냉혹하고 차가운 세상으로부터 우리를 지켜줄 사람은 없을 테니까요.

우리가 우리를 스스로 사랑하는 것은 낯간지럽고 어렵게만 느껴지지만, 사실 어쩌면 아주 간단할지도 몰라요. 사랑한다고 직접적으로 표현해주지 않아도 괜찮아요.

"그동안 많이 힘들었지?" 거창하지 않은 사소한 표현들이라고 해도 우리 자신을 사랑해주고 마음을 어루만져 주는 데 충분할 거예요. 만약 실행에 옮기기 어려운 부탁이라면 제가 온기님께 대신하여 감사와 사랑을 전해 드리고 싶어요. 온기님, 그간의 아픔을 묵묵하게 이겨 내고 지금에 이르러 주셔서 감사해요."

이 편지를 받자마자 이 편지를 써준 분께 당장 찾아가 감사함을 표하고 싶었으나 그럴 수 없다는 사실에 잠깐 실망을 했다.

남인 사람이 나를 위해 주고 있다는 사실에 어색하면서도 위로를 얻었다. 때로는 생판 모르는 남이 나의 상황을 듣고 위로해 주는 위로가 가까이 느껴질 때가 있다.

그리고 한참 힘들었을 무렵 나를 찾기 위해 썼던 일기를 찾아 읽어 보았다.

나는 그날들의 하루하루가 생생히 기억난다.

2023. 09 11

오늘은 동생이랑 일찍 나가서 독서도 하고 좋은 시간을 보냈다. 아침이 좋다고 말할 수 있어서 참 좋았다. 아직은 기저에 불안감이 엄습해 오기는 하지만 나중에는 이마저도 결국에는 지나갈 일이라고 생각했다. 무언가에 몰입할 수 있다는 것에 잠시나마 생각을 잃을 수 있고, 없앨 수 있다는 것이 좋은 것 같다. 제법 날씨가 선선하기도 하고 때로는 덥기도 하지만 햇볕이 따스함으로 바뀌는 그 순간 내 인생의 순간도 나중에는 그런 날이 오겠지 하는 생각이 스쳐 지나갔다. 오늘 솔제니친의 책을 읽으면서 대체 인간에게 삶과 죽은 무엇인가 하는 궁금증에 대해 파고 들었다. 죽음을 태연하게 맞이하려는 인간마저 죽음이 주는 공포는 결국은 사람을 무기력하게 만든다는 점, 죽음으로 가까워지게 만드는 질병을 사람을 그렇게 만든다는 것에 또 하나의 불안을 느꼈다. 엄마가 이 책을 알았다면 나에게 절대 읽지 말라고 했을 것 같다.

2023. 9.12

오늘도 하루가 무사히 갔음에 감사함을 느낀다. 오늘 고양이도 보고 파스타도 해 먹었다. 내 자신이 혼자 마트까지 갈 수 있어서 깜짝 놀랐다. 내 자신에게 크게 박수를 쳐 주고 싶다. 난 이제껏 나를 자랑스럽게 여겨 왔다. 누구의 인생보다 스펙타클한 나 같은 인생은 없을 거라고 마음 속 깊숙이 새기면서 살아 왔다. 내 인생은 내가 순응하면서 살아낼 일이지만 누군가에게 나와 같은 일이 갑작스럽게 일어난다면 잘 이겨낼 수 있을까 하는 생각이 든다. 이마저도 나의 오만함인가. 내가 겪어 보았기에 아무에게도 주고 싶지 않다. 나는 내 가족을 너무나도 사랑해서 가족의 고통을 내가 이겨낼 수 있을 만큼 내가 가져가고 싶다. 이런 생각을 아주 어릴 때부터 생각해 왔다. 가족의 슬픔과 걱정을 나의 고통으로 대신할 수 있다면 기꺼이 견뎌낼 거라는 생각. 이런 생각들은 사실 가족들이 몰라줬으면 할 때도 있다. 때로는 내가 가지고 있는 질병을 짊어지고 가는 것이 많이 외로웠다. 때로는 나의 존재가 사라졌으면 하는 생각도 많이 했다. 지금의 나는 어떤 상태인 것을 까. 성숙해진 걸까, 병든 걸까.

2023. 9 13

오늘은 도서관에 갔다.(사람이 많기는 해서 언제 공황이 올지는 모르지만 그래도 내가 마음 편안하게 다닐 수 있는 곳은 도서관인 것 같다.) 이디스 워튼의 순수의 시대에 푹 빠져들어 책을 완독하고 도서관에서 나왔다. 이디스 워튼은 항상 결말의 충격으로 내가 하루 종일 그 작품에 대해 생각하게 만든다. 작가마다의 매력이 있지만 이디스 워튼은 그런 점이 너무 매력적이다. 이제는 도서관에 가서 책을 읽고 집중할 수 있는 것에 또 다른 해냄을 맛보아서 기분이 좋다. 나도 이제 남들처럼 일상으로 돌아갈 수 있겠다는 느낌.

그 느낌이 좋기도 하고 무섭기도 하다. 며칠 전에 눈이 보이지 않는 꿈을 꾸었다. 나는 내가 가진 질병으로 인해 가끔 앞이 잘 보이지 않는다. 나에게는 꽤나 충격적인 경험이었는데 그 일 때문인지 이런 꿈을 종종 꾼다. 아침에 깨자 마다 눈을 감았다 떴다를 반복한다. 잘 보이는지 확인해보고 싶어서이다.

생각 없이 살아 봤으면 좋겠다. 나의 기억도, 나의 과거도 잃어버렸으면 좋겠다. 해리포터의 물약에도 그런 약이 있으려나?

약을 먹을 때 마다 괜찮아 질 거라고 내 자신을 되뇐다. 한

편으로는 그렇게 잊혀져 가겠지, 아무렇지 않았던 것처럼, 원래 이랬던 것처럼.

2023. 09.14

오늘도 하루가 잠잠히 갔음에 감사를 드린다. 내일은 정신건강의학과 정기검진이 있는 날이다. 항상 긴장되기도 하고 내 상태가 나아가진 것 같지 않은데 어떤 얘기를 해주실지 궁금하기도 하다. 이제는 괜찮겠지 싶다가도 불안이 찾아오고 혼자 있으면 할 수 있을 일 같다가도 할 수 없을 것 같은 감정이 훅 들어온다.

나는 왜 이렇게 나약한 존재일까. 사람은 어떤 존재이기에 이렇게 미약 할까. 목사님은 이렇게 말씀하셨다. 주님은 우리에게 두려워하지 말라는 이야기를 366번, 즉 매일 말하셨다고 한다. 이처럼 인간은 신의 존재 없이는 하루도 살아갈 수 없는 작은 존재라는 것을 알려 주는 것이다. 사람은 사람이기에 나약하다고 생각한다. 신의 존재에 대해서는 사람들의 반응은 천차만별이지만 나는 그렇게 생각한다. 사랑은 충만하시지만 시련에 있어서는 가혹하신 분.

불과 몇 달 전의 일기가 이렇게 어둡고도 깜깜했다니.

그럼에도 곧 죽을 것 같아도 지금 잘 견뎌내고 있음을 이 책을 통해 드러내고 싶다.

잘 버티고, 또 잘 있다고.

마음이 우울한 이때도 화창한 날이 좋았던 것은 변함없다고.

작가소개

최성은

2000.12.18. 출생

명지대학교 영어영문학과 졸업

좋아하는 작가: 존스타인벡, 헤밍웨이, 제인오스틴,

에리히 마리아 레마르크, 조지오웰 (그 밖에 많은 작가를 좋아합니다.), 이슬아

블로그: qjwl12389@naver.com

## 작가의 말

먼저, 이 책을 다 읽어 주신 독자님께 감사의 마음을 전합니다. 책을 다 읽으신 독자님께서는 재미있게 읽었을 수도 있고, 그저 그런 책이었을 수도, 생각보다 별로라고 생각하신 분들도 있을 겁니다.

이 책은 저와 저의 주변을 바라보고 써 나간 글을 모은 것입니다. 여러분도 삶이 쉽지 않음을 느낄 때는 주변을 바라보시길 바랍니다. 때로는 내가 사는 이유를 주변에서 만들어 줄 수도 있기 때문입니다. 바로 저와 같이 말입니다.

주변 친구들과 가족, 동물, 식물, 드라마까지. 글을 쓰기 전에는 알지 못했습니다. 내가 많은 것들과 유기적으로 연결되어있었던 것을. 내 삶은 단절되었다고 생각하기엔 너무나도 많은 사람이 있었습니다. 여러분은 주변에 어떤 사람들이 있는지, 무엇이 나를 행복하게 만드는지, 무엇이 나를 힘들게 하는지. 결론적으로 나를 위한 시간을 보내 보았는지 한번 돌아보는 좋은 시간이 되면 좋겠습니다. 시간을 들여 이 책을 읽어주셔서 감사드립니다.

마지막으로 이 책을 쓰도록 한결같이 응원해 준 우리 가족에게 무한한 감사를 표합니다

독자님들께 추천하고 싶은 책

1. 이슬아 작가님의 심신단련
2. 정보라 작가님의 저주토끼, 호
3. 구병모 작가님의 아가미, 파과
4. 최은영 작가님의 밝은밤
5. 제인 오스틴의 맨스필드 파크, 오만과 편견
6. 마크 트웨인의 허클베리 핀의 모험
7. E. M 포스터의 모리스
8. 양귀자 작가님의 모순
9. 베르나르 베르베르 문명, 행성
10. 기 드 모파상의 여자의 일생
11. 미셸 자우너 작가의 H마트에서 울다.
12. 하정 작가 “장래희망은, 귀여운 할머니”
13. 윌리엄 골딩의 파리 대왕
14. 조지 버나드 쇼의 피그말리온
15. 작가의 서재 (일본 유명작가의 서재를 들여다 볼 수 있는 책입니다.)
16. 조지오웰의 버마시절, 카탈로니아 찬가
17. 존 스타인벡의 분노의 포도, 에덴의 동쪽
18. 에리히 마리아 레마르크의 개선문, 서부전선이상 없다.